Perle,
la fée des brumes

D1304726

Vous aimez les livres de la série

L'ARC-EN-CIEL
magique

Écrivez-nous pour nous faire partager
votre enthousiasme :

Pocket Jeunesse - 12, avenue d'Italie - 75013 Paris

L'ARC-EN-CIEL
magique
LES FÉES DU CIEL

Perle,
la fée des brumes

Daisy Meadows

Traduit de l'anglais par Christine Bouchareine
Illustré par Georgie Ripper

POCKET
jeunesse

Titre original:

Rainbow Magic
The Weather Fairies - Evie the Mist Fairy

Publié pour la première fois en 2005
par Orchard Books, Londres.

Loi n° 49-956 du 16 juillet 1949 sur les publications
destinées à la jeunesse: mai 2008.

Texte © 2005, Working Partners Limited.
Illustrations © 2005, Georgie Ripper.

© 2008, éditions Pocket Jeunesse, département d'Univers Poche,
pour la traduction française et la présente édition.

La série « L'Arc-en-Ciel magique » a été créée
par Working Partners Limited, Londres.

ISBN 978-2-266-16689-8

Merci à toutes les fées
de l'univers.

Et en particulier
à Sue Benthley.

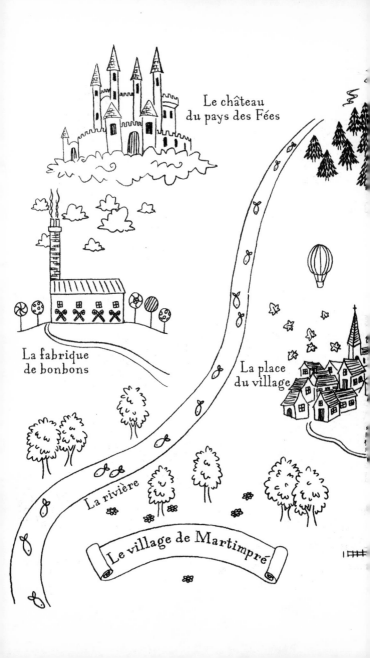

Le château
du pays des Fées

La fabrique
de bonbons

La place
du village

La rivière

Le village de Martimpré

Joli

Le château
du bonhomme Hiver

La maison
de Mme Fordham

Le parc

La colline des Saules

Le musée

La Grand-Rue

La maison
de Betty

rme

Les champs

La mare de boue

N
O — E
S

Mes vilains petits gnomes verts,
Grâce à ce sort extraordinaire
Vous voilà enfin de taille
À réaliser mon idée géniale.

Rapportez-moi les plumes du coq Cliquot
Qui servent aux fées à faire la météo
Avec elles, je sèmerai le chaos,
Ça sera cent fois plus rigolo.

Un matin brumeux

Betty se leva d'un bond et secoua son amie Rachel qui dormait dans le lit voisin.

– Debout, marmotte !

Rachel passait une semaine de vacances chez les Tate, à Martimpré. Elle s'étira et ouvrit les yeux.

– J'ai encore rêvé de Cliquot. Il y avait en même temps un soleil radieux et une tempête de neige au pays des Fées et il ne savait plus où donner de la tête.

Il fallait dire que, depuis cinq jours, les deux filles pensaient beaucoup à lui.

C'était ce coq qui, chaque matin, grâce à ses sept plumes enchantées, contrôlait le climat, aidé des sept fées du ciel. Ce système avait parfaitement fonctionné jusqu'au jour où le méchant bonhomme Hiver avait envoyé ses gnomes lui voler ses plumes. Cliquot les avait poursuivis dans le monde des humains. Mais, privé de ses pouvoirs, il s'était transformé en une vulgaire girouette toute rouillée !

Et, depuis, la météo était complètement détraquée, chez les fées comme chez les hommes.

– Pauvre Cliquot ! soupira Betty en observant le toit où il était perché.

Son père l'avait trouvé dans le parc et l'avait fixé sur sa grange, sans se douter qu'il s'agissait d'un coq magicien.

– Nous avons déjà récupéré quatre plumes. Il ne lui en manque donc plus que trois. Avec un peu de chance, nous en dénicherons une autre aujourd'hui.

– J'espère bien, opina Rachel, avec un grand sourire. Surtout que je dois rentrer chez moi dans trois jours. Il ne nous reste plus beaucoup de temps.

Alors qu'elle contemplait le ciel bleu, un mince filet de brume attira son attention.

– Regarde ce nuage ! Il a la forme d'une plume !

Betty tourna la tête dans la direction qu'elle indiquait.

– Je ne vois rien.

Rachel plissa les yeux : il avait disparu.

– J'ai dû rêver, dit-elle en allant s'habiller.

En tout cas, cette apparition lui semblait un heureux présage.

Rachel adorait être chez Betty. Les deux filles s'étaient rencontrées pendant les vacances d'été, sur l'île de Magipluie. C'est là qu'elles avaient

aidé leurs minuscules amies pour la première fois. Le bonhomme Hiver avait banni les fées de l'Arc-en-Ciel de leur royaume, et Rachel et Betty avaient réussi à les y ramener saines et sauves.

Elles entrèrent dans la cuisine. M. Tate était assis à la table.

– Avez-vous bien dormi ? leur demanda-t-il.

– Oui, répondit Rachel en s'approchant pour déchiffrer le prospectus qu'il était en train de lire.

GRANDE COURSE
DE FOND
au Bois-Joli
à Martimpré
Tout le monde est invité
dimanche 1er août

– Il ne faut pas rater ça, déclara M. Tate. Surtout que maman y participe, Betty. Nous irons tous l'encourager.

Les deux filles acquiescèrent gaiement.

« Peut-être que nous croiserons des gnomes en chemin », songea Rachel, à la fois contente et inquiète.

Non seulement ces petits êtres difformes étaient méchants, mais en plus, le bonhomme Hiver avait doublé leur taille. Heureusement, d'après une loi du pays des Fées, rien ne pouvait être plus haut que le palais enchanté du roi Obéron et de la reine Titania. N'empêche qu'ils arrivaient quand même à l'épaule des deux filles.

M. Tate finit son café et repoussa sa chaise.

– Je vais chercher mamie pour l'emmener voir la course. On se retrouvera là-bas.

– D'accord, papa. À tout à l'heure!

Mme Tate apparut à son tour, habillée en tenue de sport: short, tee-shirt et baskets.

– Désolée, je n'ai pas le temps de m'occuper de vous, les filles. J'ai promis d'aider à flécher le parcours.

– Ce n'est pas grave, maman. Dépêche-toi.

– Nous viendrons vous encourager, promit Rachel.

– Alors à plus tard !

Un quart d'heure après, Rachel et Betty se mirent en route.

– Si on passait par la rivière ? suggéra Betty. Le chemin est un peu plus long mais beaucoup plus joli.

– Oh, oui ! Nous verrons peut-être des canetons.

Elles remontèrent la rue Tournicote sous un grand soleil. Puis elles se

dirigèrent vers le bord de la rivière où des vaches broutaient joyeusement l'herbe couverte de boutons-d'or.

Rachel aperçut de la vapeur au-dessus de l'eau.

– Regarde ! Ça ne serait pas du brouillard magique ?

– Je ne sais pas. Il y a souvent de la brume le matin par ici.

– Oui, c'est vrai, soupira Rachel, déçue.

Mais elle retrouva toute sa gaieté en apercevant un couple de cygnes suivis de leurs trois petits, puis des libellules aux ailes de tulle qui voletaient dans les roseaux.

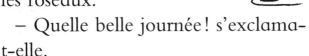

– Quelle belle journée! s'exclama-t-elle.

Alors qu'elles arrivaient au Bois-Joli, Betty ralentit le pas – quelque chose scintillait sur une branche. On aurait

cru un lambeau de châle argenté qui brillait doucement sous le soleil.

– Qu'est-ce que c'est? demanda-t-elle à Rachel.

– Je ne sais pas, mais c'est magnifique! On dirait les cheveux d'ange qu'on met sur les sapins de Noël.

Elles s'approchèrent.

Betty toucha les étranges fils grisés qui fondirent sous ses doigts.

– Oh, c'est glacé! murmura-t-elle
en se frottant les mains.

Rachel se pencha pour les examiner
de plus près. Ils étaient saupoudrés de
petites paillettes.

– Je suis sûre que c'est de la brume
magique! chuchota-t-elle.

– Tu as raison.

Betty lui montra au loin de gros
chênes qui disparaissaient petit à petit
dans le brouillard.

– Il y en a plein là-bas. Viens vite!

Le brouillard magique

Les deux amies s'enfoncèrent dans la forêt. Une vapeur argentée enveloppait les arbres et tapissait le sol de fines gouttelettes. La moindre brindille, la moindre feuille, la moindre herbe scintillait. Et là où la végétation laissait passer le soleil, des milliers

de petits diamants brillaient de toutes les couleurs de l'arc-en-ciel.

Betty et Rachel, bouche bée, contemplèrent le spectacle. Elles se seraient crues au pays des Fées !

Lentement, elles s'avancèrent. Au bout de quelques pas, Rachel s'arrêta car elle ne distinguait presque plus rien.

– Le brouillard devient de plus en plus épais. Le gnome qui a volé la plume à brume ne doit pas être bien loin.

– Si ça se trouve, il est juste à côté de nous, frissonna Betty en se frottant les bras.

En un clin d'œil, le bois avait pris une allure sinistre. Tout était sombre.

Des silhouettes floues se déplaçaient un peu plus loin. Un homme en tee-shirt rouge sortit du couvert des arbres. Au même instant, un autre coureur surgit en face de lui.

— Attention !
cria Betty.

Trop tard !
Boum ! Ils se
percutèrent
violemment.

— Pardon,
je ne vous

avais pas aperçu ! s'excusa l'homme en rouge en se frictionnant la tête.

— C'est la première fois que je vois un tel brouillard en été, répondit l'autre.

On entendait partout des craque-
ments de branches et des protestations.
Les concurrents finirent par se mettre
en file indienne pour éviter de s'as-
sommer contre un arbre.

– Quel dommage ! remarqua
Rachel. La course est à l'eau.

Soudain, une lueur attira l'œil de Betty.

– Regarde là-bas! s'écria-t-elle.

Une petite lumière aussi vive que celle d'une lanterne fonçait vers elles.

– Oh! C'est Perle, la fée des brumes!

– Bonjour, Rachel et Betty! les salua-t-elle de sa voix cristalline.

Les deux filles l'avaient déjà rencontrée au pays des Fées, quand elles

avaient fait la connaissance des fées du ciel. Elle avait de longs cheveux bruns et des yeux violets. Elle portait une robe lilas assortie à ses bottes. De la pointe argentée de sa baguette magique s'échappaient des bandes de brume scintillantes.

– Nous sommes contentes de te voir ! déclara Rachel.

– Tu tombes à pic, ajouta Betty. Le gnome qui a volé ta plume ne doit pas être loin.

– Oui, et il est temps d'arrêter ses bêtises !

– Sauf que nous risquons de nous perdre dans ce brouillard ! Pourrais-tu

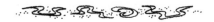

marquer notre chemin afin qu'on puisse revenir ? Perle sourit et agita sa baguette. Un nuage de poudre de fée en jaillit et traça un sentier étincelant sur le sol.

– Maintenant, nous sommes sûres de retrouver notre route ! s'écria Betty. Mais pour ne pas nous cogner dans les coureurs, transformons-nous en fées et volons.

La reine des fées leur avait offert de magnifiques médaillons remplis de poussière magique. Une pincée suffit à réduire les deux amies à la taille de Perle.

Rachel s'assura qu'elle portait bien de jolies ailes fines et scintillantes dans le dos.

– Hourra! lança Perle tandis qu'elles s'élevaient toutes les trois dans les airs.

En dessous d'elles, les sportifs continuaient à avancer à tâtons.

– Pauvre maman! Elle qui se réjouissait tant! Ce méchant gnome a tout gâché! grommela Betty.

Soudain, Rachel aperçut une ombre trapue.

– Regardez ! Je crois que je l'ai trouvé ! chuchota-t-elle.

Le gnome pris au piège

Elles descendirent en piqué malgré la brume de plus en plus épaisse qui collait à leurs ailes.

– Oh, ce n'est qu'un arbre mort! soupira Rachel en se posant sur un tronc rabougri.

Vu d'en haut, avec ses branches tordues, il ressemblait vraiment à un gnome.

— Ne t'inquiète pas, il ne doit pas être loin, la rassura Betty à voix basse. Le brouillard s'épaissit tant que j'ai du mal à battre des ailes.

— Oui, j'ai l'impression de pédaler dans de la purée, marmonna Rachel.

Elles sursautèrent en entendant grogner derrière elles.

— C'est pas juste! J'ai froid, j'ai faim et je suis perdu! Que je suis malheureux!

Elles échangèrent un regard ravi.

— C'est lui! murmura Perle.

– Vite ! Cachons-nous ! chuchota Rachel.

D'un coup d'ailes, elles allèrent se poser sur la branche d'un énorme chêne et scrutèrent le sol à travers les feuilles. Elles aperçurent le dessus de la tête du gnome ainsi que ses grands pieds osseux. Et elles entendirent un abominable gargouillement d'évier bouché monter de son estomac.

– Et en plus, je n'ai rien à manger !
continua-t-il de se lamenter en se
tenant le ventre. Je donnerais n'im-
porte quoi pour un sauté de champi-
gnons pourris assaisonné aux crottes
de ver de terre !

Soudain, il
sursauta, l'oreille
aux aguets.

– Qu'est-ce que
c'est ? Y a quelqu'un ?

Il leva la tête. Les trois amies se
recroquevillèrent.

– Encore une saleté d'écureuil !
bougonna-t-il. Bouh ! Je veux rentrer
chez moi !

Elles le voyaient distinctement à présent. Il avait de gros yeux globuleux

qui louchaient, un énorme nez en
forme de patate, de longs bras maigres
et des jambes courtes et arquées.

– Regardez ce qu'il tient! souffla
Perle.

Betty et Rachel se rendirent compte
alors qu'il serrait entre ses doigts cro-
chus une magnifique plume argentée
à la pointe mauve.

– La plume à brume! s'exclamèrent-elles d'une seule voix.

– Mais si le brouillard le gêne, pourquoi ne s'en débarrasse-t-il pas d'un coup de plume? demanda Rachel en fronçant les sourcils.

– Parce que cet idiot ne sait pas s'en servir! gloussa Perle. Et plus il l'agite, plus ça s'aggrave.

En effet, chaque fois qu'il la secouait, il s'en échappait des volutes blanches de plus en plus épaisses.

– Ah, je rêve d'une friture de perce-oreilles, de crêpes au scarabée, d'un bon sandwich à la limace…, gémit-il de plus belle.

Un coureur sortit du bois. Le gnome se précipita derrière le chêne. Il tremblait tellement que les trois amies entendaient ses genoux cagneux s'entrechoquer.

– Un… un tartagol! bredouilla-t-il, affolé.

Dès qu'il entendit les pas s'éloigner, il quitta son abri et s'affala sur la souche.

– Ouf! soupira-t-il. Le tartagol est parti!

Mais il n'arrêtait pas de jeter des regards inquiets autour de lui.

Betty se tourna vers la fée.

– C'est quoi, un tartagol?

Perle sourit, et ses yeux violets pétillèrent.

– Un monstre qui dévore les gnomes.

– Mais où vivent-ils? s'étonna Rachel.

Elle s'était déjà rendue plusieurs fois avec Betty au pays des Fées. Elles y avaient croisé des elfes, des gnomes et toutes sortes de créatures fantastiques, mais jamais de tartagols.

Perle éclata de rire.

– Nulle part! Ils n'existent pas!
Quand les petits gnomes sont très
vilains, leur maman les menace
d'appeler le tartagol pour les manger!

Betty et Rachel s'esclaffèrent et
faillirent tomber de leur branche.

– Attendez! s'exclama Rachel. Je
sais comment récupérer la plume!

L'invasion des tartagols

– **V**ite ! Raconte ! la supplièrent Perle et Betty.

– Si nous faisons croire à cet affreux que la forêt est pleine de tartagols, il voudra s'enfuir à tout prix et se débarrasser du brouillard pour retrouver son chemin. Mais comme il ne

sait pas comment faire, nous arri-
verons peut-être à le convaincre de
donner la plume à Perle pour qu'elle
ramène le beau temps.

— Ensuite, je n'aurai plus qu'à la
rapporter à Cliquot! applaudit Perle.
Ton plan est génial!

— Reste à le persuader que la forêt
grouille de tartagols, conclut Rachel.

Les trois amies se creusèrent les
méninges.

– J'ai une idée! s'écria Betty. D'abord, tu nous rends notre taille normale, Perle. Ensuite, Rachel et moi n'aurons plus qu'à sortir de derrière l'arbre en hurlant que nous sommes pourchassées par un tartagol!

– Oui, ça pourrait marcher, murmura Perle.

Elles volèrent en catimini jusqu'au sol, cachées par le chêne. D'un coup de baguette magique, Perle les transforma de nouveau en filles.

– Tu es prête, Rachel? demanda Betty.

– Et comment!

Elles se penchèrent pour observer le gnome. Il continuait à se lamenter sur sa souche.

– On y va ! souffla Rachel.

– Au secours ! Au secours ! Un tartagol nous poursuit ! hurla Betty en surgissant de leur cachette.

– À l'aide ! Il va nous attraper ! cria Rachel derrière elle.

Le gnome les dévisagea et ouvrit des yeux ronds comme des soucoupes.

— Quoi! Mais qui êtes-vous?
Betty pila devant lui.

— Oh, mon Dieu, un gnome dans
le bois aux tartagols!

— Bravo! Tu es très courageux,
déclara Rachel.

— Pou-pourquoi? Y en a beaucoup
pa...par ici? bégaya-t-il.

– Des centaines. La forêt en est remplie. Mais nous ne pouvons pas rester là. L'un d'eux est à nos trousses!

Perle apparut au-dessus de leurs têtes.

– Ne vous inquiétez pas. Les tartagols préfèrent les gnomes. Vous savez qu'ils les font cuire et qu'ils les mangent?

– Ils les mangent? répéta le gnome, très pâle. C'est vrai?

– Oui, et si j'étais toi, je partirais vite.

— Mais c'est impossible, dans ce brouillard. Je n'arrive même pas à voir le bout de mes pieds !

— Je vais t'aider. Tu n'as qu'à me donner cette plume et je te dégagerai le chemin jusqu'à la lisière de la forêt.

Betty et Rachel retinrent leur respiration. Jusque-là tout s'était passé comme sur des roulettes. Le gnome allait-il tomber dans leur piège ?

Il se pinça le nez d'un air songeur.

— J'hésite… Le bonhomme Hiver ne sera pas content si je ne la rapporte pas.

— Hé ! C'est pas lui qui risque de finir à la broche ou en gnome farci !

— Les tartagols de cette forêt sont énormes. Et très, très féroces, ajouta Betty.

– Le bonhomme Hiver aussi, soupira le gnome. À la réflexion, je garde
ma plume.

Betty échangea un regard angoissé
avec Rachel. Que faire ?

Une sacrée farce

– J'ai une idée, chuchota Perle. Détournez son attention, juste une minute.

– Qu'est-ce que vous racontez ? s'enquit le gnome d'un ton soupçonneux.

– Nous avons aperçu un autre tartagol ! mentit Betty.

– Où ça? sursauta-t-il en regardant derrière lui.

Perle en profita pour lancer un coup de baguette magique sur un buisson.

– Je l'entends! Le voilà! s'écria Rachel.

— Je te crois pas! ricana le gnome.
J'entends rien. Je parie que t'as même
jamais vu de tartagol!

— Et ça, c'est quoi!
s'exclama Perle.

Le gnome tendit
l'oreille. À cet instant,
un terrible rugissement
monta des broussailles.

— Arrrrh! Je suis un
un abominable tar-
tagol! Et j'avalerais
volontiers un gnome
farci pour mon dîner!

— Maman, j'ai peur!
gémit le gnome en se dissimulant
derrière Betty et Rachel. Un tartagol
veut me dévorer! Je suis désolé d'avoir
mis des rognures d'ongles d'orteils

dans ton lit. Je ne recommencerai plus jamais! Au secours! Ne me mangez pas, monsieur le tartagol. Prenez plutôt ces deux gamines. Je suis sûr qu'elles auront meilleur goût que moi.

– Je ne me nourris que de gnomes! gronda

la grosse voix. Surtout les affreux comme toi!

Le gnome, les yeux écarquillés de frayeur, poussa un cri, et tendit sa plume à Perle.

– Vite, fais disparaître ce brouillard que je file d'ici! la supplia-t-il. Je ne veux pas finir à la casserole!

Perle prit la plume avec un sourire radieux

et l'agita d'un geste expert. Un chemin apparut au milieu de la brume.

Sans demander son reste, le gnome s'enfuit à toutes jambes.

Betty, Rachel et Perle rirent de bon cœur.

– Perle, ton coup de la grosse voix dans le buisson était génial! la félicita Rachel.

– Même moi, j'ai eu peur, gloussa Betty.

— Et surtout, cela nous a permis de récupérer la plume à brume! jubila Perle en l'agitant au-dessus de sa tête.

Des étincelles argentées jaillirent dans le ciel et le brouillard commença aussitôt à se dissiper. Quelques secondes plus tard, le soleil inondait de nouveau le Bois-Joli.

— On la rapporte à Cliquot? proposa joyeusement Rachel.

Perle fit une pirouette dans l'air, semant une traînée de paillettes mauves dans son sillage.

– La course de fond devrait se dérouler normalement à présent. Si nous allions encourager ma mère avant de rentrer à la maison? proposa Betty.

Tout s'arrange

Les trois amies s'approchèrent du parcours balisé par de gros traits rouges peints sur les arbres. On y voyait très bien à présent dans la forêt.

— Perle, tu ferais mieux de te cacher, lui conseilla Rachel.

La petite fée se glissa dans ses cheveux.

Soudain, Betty aperçut sa mère qui courait en tête, deux autres concurrents sur ses talons.

– Vas-y, maman! cria-t-elle. Tu es la meilleure!

– Vous allez gagner! lança Rachel.

Mme Tate leur adressa un bref signe de la main.

— On dirait que ta mère s'en sort comme une championne! s'exclama alors une voix derrière Betty.

Elle se retourna d'un bond.

— Papa! Mamie! Chic, vous êtes là!

— Pile à temps! répondit M. Tate. Ce brouillard nous a sacrément retardés. Et vous avez vu ça? Il s'est dissipé d'un coup, comme par magie!

Rachel et Betty échangèrent un sourire en coin.

— Nous rentrons à la maison, annonça Betty.

– Parfait. Nous, nous allons attendre ta maman sur la ligne d'arrivée.

– Filons rendre cette plume à son proprié-  taire, déclara Rachel dès qu'elles furent chez Betty. J'ai hâte de savoir ce que Cliquot va nous dire.

Chaque fois qu'il en récupérait une, le coq revenait quelques secondes à la vie pour leur lancer un avertisse- ment. Mais à peine avait-il prononcé deux ou trois syllabes qu'il se chan- geait de nouveau en girouette. Les deux amies mouraient de curiosité de connaître la suite de son message.

Perle s'envola vers le toit de la grange et remit la plume à sa place sous l'œil attentif des deux filles.

Une gerbe de paillettes cuivre et or fusa de la queue de Cliquot. Il se

transforma en un superbe coq. Il gon-
fla son plumage et se tourna vers
Betty et Rachel.

– Si ses…

Trop tard. Ses couleurs se ternirent
et il redevint une vulgaire girouette.

Betty se concentra pour rassembler
les bribes de son message.

– « Méfiez-vous, le bonhomme Hiver viendra si ses… »

– Il viendra *si ses quoi*? s'inquiéta Rachel.

– Il faut que nous trouvions la prochaine plume pour le savoir, soupira Betty.

– Oui, il est très important de connaître la phrase entière, acquiesça Perle. Je parie que le bonhomme Hiver trame encore un mauvais coup! Hélas, je dois vous quitter, maintenant.

Elle embrassa Rachel et Betty.

– Merci de votre aide, mes chères amies.

– Tout le plaisir était pour nous, répondit Betty avec le sourire.

– Dis bonjour de notre part à tous nos amis du pays des Fées, ajouta Rachel.

– C'est promis ! cria Perle en s'élan-
çant dans le ciel bleu.

Des filets de brume argentés jaillirent
de sa baguette et elle disparut.

Betty laissa échapper un petit rire.

– Je me demande à qui étaient les
rognures d'ongles d'orteils que le
gnome a mises dans le lit de sa mère !

Rachel pouffa à son tour.

Quelle fabuleuse journée elles
venaient de vivre ! Et il leur restait
encore deux jours de vacances !

Table des matières

L'ARC-EN-CIEL
magique
LES FÉES DU CIEL

Marion, Alizé, Morgane,
Aurore et Perle ont enfin retrouvé
leurs plumes magiques.

À présent, Rachel et Betty
doivent aider
Esther, la fée des éclairs

Des livres plein les poches, des histoires plein la tête

L'ARC-EN-CIEL magique
LES FÉES DU CIEL

Retrouve vite Rachel et Betty
avec un extrait de

Marion, la fée des flocons

Des livres plein les poches, des histoires plein la tête

Une surprise magique

— Quelle journée splendide! s'écria joyeusement Betty Tate en admirant le grand ciel bleu par la fenêtre de la voiture. Maman, tu crois qu'on aura ce beau soleil tout l'été?

Mme Tate sourit gentiment.

— Espérons-le. Mais rappelle-toi Magipluie. Le temps n'arrêtait pas de changer.

Betty sourit au souvenir de ses dernières vacances et de l'île où elle avait fait la connaissance de sa nouvelle amie, Rachel Walker. Elles avaient vécu des aventures extraordinaires. Elles avaient aidé les sept fées de l'Arc-en-Ciel à échapper aux sortilèges de l'affreux bonhomme Hiver et à regagner leur royaume.

– Oh, s'il te plaît, maman, j'aimerais tant que Rachel vienne passer quelques jours chez nous ! soupira-t-elle tandis qu'elles se garaient devant leur maisonnette.

Les Tate habitaient à Martimpré, un joli petit village perdu dans la campagne.

– Excellente idée. Aide-moi d'abord

à rapporter les courses à la cuisine et tu l'appelleras.

– Au fait, où est passé papa?

– Hou, hou! Je suis là!

Betty se tourna vers la vieille grange, sur la gauche de la maison. Elle leva la tête en s'abritant les yeux du soleil. Son père, debout sur une échelle, réparait le toit.

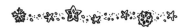

– Il y a encore une fuite, cria-t-il.

– Mon Dieu! soupira Mme Tate en ouvrant son coffre. Cette grange tombe en ruine. Il faudrait qu'on s'en occupe.

– Moi, je l'aime bien, dit Betty.

Elle prit les deux sacs de provisions que lui tendait sa mère et sursauta en sentant une goutte d'eau sur son nez.

– Oh, non! Il pleut!

Elle vit alors deux flocons sur sa jupe rose.

– Mais non, c'est de la neige!

– De la neige? s'écria Mme Tate. En été? C'est impossible!

Mais le ciel s'était assombri d'un coup et il faisait très, très froid.

– Vite, Betty, rentre à la maison!

Mme Tate s'empressa de ramasser le reste des courses et referma le coffre de la voiture.

M. Tate descendit de son échelle et les suivit à l'intérieur.

– C'est bizarre, dit-il, les sourcils froncés. Je me demande si ça va durer.

Betty se tourna vers la fenêtre de la cuisine.

— Regardez, c'est déjà fini!

M. et Mme Tate s'approchèrent. Le soleil brillait de nouveau dans un ciel sans nuages. Seules quelques flaques témoignaient de cette surprenante averse.

— Je n'ai jamais vu ça! s'exclama M. Tate. C'est de la magie ou quoi?

De la magie? Le cœur de Betty se mit à battre à tout rompre. Quand elles avaient retrouvé les fées de l'Arc-en-Ciel, le bonhomme Hiver avait juré de ne plus les tourmenter. Aurait-il trahi sa promesse?

– Betty, va mettre un chemisier sec, dit Mme Tate.

Betty s'écarta de la fenêtre et aperçut alors un vieux coq en fer rouillé, posé sur la table de la cuisine.

– Qu'est-ce que c'est?

– Une girouette, répondit son père. Je l'ai trouvée dans le parc, ce matin. Elle fera beaucoup d'effet sur le toit de la grange, quand je l'aurai réparé.

Betty passa la main sur le métal. Une nuée de paillettes dansa autour de ses doigts. Elle cligna des yeux de surprise et retira la main.

Les paillettes avaient disparu. Il n'y avait plus que le vieux coq rouillé.

Intriguée, elle monta se changer. Avait-elle rêvé? Cependant la neige, elle, était bien réelle. Betty décida d'appeler Rachel après le déjeuner. Peut-être avait-elle aussi remarqué quelque chose de bizarre.

Elle entra dans sa chambre et son regard tomba sur le presse-papiers que lui avaient offert les fées en remerciement de son aide. Rachel avait reçu exactement le même. La boule de verre remplie de poussière de fée brillait de toutes les couleurs quand on l'agitait.

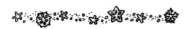

Mais personne ne la secouait à cet instant précis et pourtant les paillettes tourbillonnaient à l'intérieur du verre ! Oubliant son chemisier mouillé, Betty saisit le presse-papiers. Il était brûlant. Elle le lâcha en poussant un cri de douleur. Il heurta le coin d'une étagère et se brisa en mille morceaux.

— Oh, non ! gémit-elle, désolée d'avoir cassé son beau cadeau.

La poudre de fée l'enveloppa. Aussitôt, Betty se sentit rétrécir, comme chaque fois qu'elle se trouvait

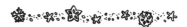

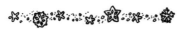

transportée par magie au pays des Fées.

Elle regarda derrière elle. Des ailes délicates brillaient dans son dos.

– Les fées veulent sans doute que j'aille les voir, murmura-t-elle. Mais je ne connais pas le chemin!

Au même instant, un courant d'air entra par la fenêtre ouverte. Il souleva la poussière de fée, qui enveloppa Betty d'un tourbillon multicolore et l'emporta !

[…]

Découvre vite les autres fées du ciel,
dans la collection

LES FÉES DU CIEL

Retrouve dans la même collection :

LES FÉES DE L'ARC-EN-CIEL

Et aussi :

LES FÉES DE LA FÊTE

1. Margaux, la fée des gâteaux
2. Angélique, la fée de la musique
3. Juliette, la fée des paillettes
4. Manon, la fée des bonbons
5. Anaïs, la fée des jeux
6. Prune, la fée des costumes
7. Élise, la fée des surprises

HORS-SÉRIES

Clémence, la fée des vacances
Gaëlle, la fée de Noël
Stella, la fée des étoiles

Des livres plein les poches, POCKET jeunesse des histoires plein la tête

Retrouve

tes héros préférés

et gagne

des cadeaux sur

www.pocketjeunesse.fr

POCKET
jeunesse

Composition : Francisco *Compo*
61290 Longny-au-Perche

Impression réalisée sur Presse Offset par

C P I
Brodard & Taupin

La Flèche (Sarthe), le 21-04-2008
N° d'impression : 46026

Dépôt légal : mai 2008

Imprimé en France

12, avenue d'Italie
75627 PARIS Cedex 13